NEDERLANDS CULTUURBELEID EN DE EUROPESE GEMEENSCHAPPEN

Enqu

Nederlands cultuurbeleid en de Europese Gemeenschappen

Een beleidsverkenning

BART TROMP

KERCKEBOSCH BV – ZEIST 1989

CIP-GEGEVENS KONINKLIJKE BIBLIOTHEEK, DEN HAAG

Tromp, Bart

Nederlands cultuurbeleid en de Europese Gemeenschappen
Bart Tromp. – Zeist: Kerckebosch
Met lit. opg.
ISBN 90-6720-067-0
SISO 497.4 UDC 351.85(492):(4-69EG) NUGI 911
Trefw.: Nederland; cultuurbeleid / cultuurbeleid; Europese Gemeenschappen.

Omslag: Frits Reijnst – Zeist

Voorwoord

De spanning tussen het proces van Europese integratie en de behoefte het oorspronkelijke karakter van nationale en regionale culturen te handhaven is een centraal punt in de discussie over de gevolgen van het Europees eenwordingsproces op het terrein van de cultuur.

De laatste tijd is in de Nederlandse media veel aandacht aan dit onderwerp geschonken. Daarbij valt op dat de beschouwingen nogal defensief zijn getoonzet en dat de mogelijke gevolgen van het Europese integratieproces over het algemeen negatief worden gewaardeerd.

Daarnaast blijkt dat vaak verschillende uitgangspunten worden gehanteerd. Enerzijds is er sprake van een discussie in algemene termen, waarin het begrip 'culturele identiteit' domineert. Anderzijds is er sprake van toespitsing op de gevolgen van het integratieproces op het cultuur*beleid* van de lidstaten.

Hierbij zijn twee verschillende cultuurbegrippen aan de orde: de discussie over culturele identiteit gaat in feite – expliciet of impliciet – over cultuur in een brede, meer antropologische betekenis, dus in de zin van normen, zeden, gewoonten en gebruiken.

Meer betrokken op het cultuur*beleid* wordt in de discussie het begrip 'cultuur' niet zozeer verbonden met de inhoud of de aard van de cultuuruitingen, maar veeleer met de bijzondere karakteristiek van het patroon van voorzieningen en activiteiten. Dit 'culturele landschap' kan worden gezien in termen van een geschakeerd aanbod van cultuuruitingen, van voorzieningen met bepaalde structuren en patronen, met een cultureel klimaat, gekenmerkt door bepaalde verhoudingen tussen cultuuraanbod en publiek.

Het is deze laatstgenoemde invalshoek die voor wat betreft het Ministerie van Welzijn, Volksgezondheid en Cultuur centraal staat in haar benadering van de Europese Gemeenschappen voor zover betrekking hebbend op cultuurbeleid.

Daarnaast heeft ook de Tweede Kamer der Staten-Generaal uitgesproken dat het Nederlandse beleid moet zijn gericht op het behouden van een eigen ruimte voor een Nederlands *cultuur*beleid. De komende ontwikkelingen dienen aan dit uitgangspunt te worden getoetst.

Om meer dan één reden is het niet wenselijk daarbij een afwerende, protectionistische opstelling te kiezen. De Nederlandse cultuuruitingen zijn in sterke mate internationaal georiënteerd en de kwaliteit van de cultuuruitingen rechtvaardigt geen valse bescheidenheid en nog minder een presentatie als kwetsbare minderheidscultuur. Maar tegelijkertijd is het zaak die kwaliteit en die internationale oriëntatie ook in de context van de Europese Gemeenschappen in stand te houden.

Het is op dit moment van belang dat aangaande de positie van cultuur in de Europese Gemeenschappen ten behoeve van de politieke menings- en besluitvorming de juiste vragen worden geformuleerd en de aard van de problematiek zo helder mogelijk in kaart wordt gebracht. Met het oog daarop heb ik besloten nader onderzoek te laten verrichten, enerzijds naar de strikte juridische doorwerking van het EEG-Verdrag op de culturele sector, en anderzijds naar de (mede op basis daarvan) beleidsmatige effecten van het Verdrag.

Onder de auspiciën van een daartoe gevormde commissie, waarin externe deskundigen en ambtelijke deskundigen zitting hebben, is het onderzoek verricht door de Rijksuniversiteit te Utrecht (voor wat betreft de juridische aspecten) en door een aantal, op deelterreinen van het cultuurbeleid gespecialiseerde deskundigen. Deze laatstgenoemde discussies zijn samengevat en nader geanalyseerd door Prof. Drs. B. Tromp.

Alle publikaties verschijnen onder verantwoordelijkheid van de betrokken auteur(s), die à titre personnel aan het onderzoek hebben meegewerkt.

Elders in deze uitgave vindt u een overzicht van de verrichte deelonderzoeken, alsmede de samenstelling van de commissie, die met het geheel is belast.

De resultaten van de onderzoeken hebben een verkennend en voor een deel scenario-achtig karakter. Over de feitelijke door-

werking van het EG-beleid op de culturele sector bestaat nog relatief weinig jurisprudentie, waardoor de uiteindelijke effecten van het wegvallen van de Europese binnengrenzen vooralsnog een hypothetisch karakter hebben.
Niettemin is een eerste kaart gemaakt van het – schemerige – gebied waarin de culturele sector zich thans in relatie tot de Europese Gemeenschappen bevindt. Op die kaart zullen de wegen worden uitgestippeld, waarlangs politieke en ambtelijke beleidsmakers, en niet in de laatste plaats de vele betrokken culturele organisaties het risico kunnen vermijden te verdwalen in onduidelijkheid en onzekerheid over de huidige en toekomstige Europese ontwikkelingen.
De eerdergenoemde commisie zal haar activiteiten voorlopig blijven voortzetten om de witte plekken op de hier voorliggende kaart nadere invulling te geven.

De Directeur-Generaal voor Culturele Zaken van het Ministerie van Welzijn, Volksgezondheid en Cultuur,

Drs. J. Riezenkamp

Inhoudsopgave

1. Inleiding

Door de Europese Gemeenschap* wordt ernaar gestreefd op 31 december 1992 binnen de grenzen van de Gemeenschap een volledige interne markt tot stand te hebben gebracht. Onder 'interne markt' wordt in dit verband verstaan 'een ruimte zonder binnengrenzen waarin het vrije verkeer van goederen, personen, diensten en kapitaal is gewaarborgd volgens de bepalingen van dit' (n.l. het EEG-) 'verdrag'.

De totstandkoming van deze interne markt kan gevolgen hebben voor het Nederlandse cultuurbeleid. Volgens het EEG-Verdrag kan cultuurbeleid slechts worden beoordeeld in economische termen. Voorzover nationaal cultuurbeleid inbreuk maakt op de regels van de interne markt, zou dit dus onmogelijk worden. Dit zou onder andere kunnen worden voorkomen, als in het EEG-Verdrag bepalingen zouden worden opgenomen die ruimte scheppen voor een nationaal cultuurbeleid dat niet volledig onderworpen is aan de economische voorwaarden van de interne markt. Daarvan is voorlopig echter nog geen sprake.

In deze situatie is het van belang inzicht te krijgen in de vermoedelijke gevolgen van de totstandkoming van de interne markt voor het Nederlandse cultuurbeleid. Daarom heeft de minister van Welzijn, Volksgezondheid en Cultuur in juli 1988 een Commissie Cultuurbeleid en Interne Markt ingesteld voor een periode van vier jaar. Deze commissie heeft tot taak gekregen onderzoek te laten doen naar 'de gevolgen van communautaire acties voor de culturele sector', en op grond van haar bevindingen voorstellen te formuleren en voor te leggen aan de Directeur-Generaal Culturele Zaken. In Bijlage II is de samenstelling van de Commissie vermeld.

* In dit rapport wordt de term 'Europese Gemeenschap' ('EG') gebruikt voor wat formeel de *Europese Gemeenschappen* zijn, namelijk de Europese Kolen en Staal Gemeenschap, de Europese Economische Gemeenschap en de Europese Gemeenschap voor Atoomenergie.

In het voorjaar van 1989 is in opdracht van de commissie een aantal studies verricht over de vermoedelijke gevolgen van '1992' voor het Nederlandse cultuurbeleid. Zij werden uitgevoerd door onafhankelijke onderzoekers, die door hun werkzaamheden deskundig zijn op de betreffende terreinen.

Het onderzoek in zijn geheel bestaat uit een algemene studie over de juridische aspecten van het EEG-Verdrag en het EG-recht ten aanzien van het nationale cultuurbeleid en uit een aantal deelstudies, waarin per beleidsterrein in kaart is gebracht op welke punten regelgeving met betrekking tot het nationaal cultuurbeleid waarschijnlijk of zeker in strijd is met het EEG-Verdrag, en wat de vermoedelijke gevolgen daarvan zullen zijn voor dat beleid. Tevens is aandacht besteed aan de mogelijke gevolgen die zullen optreden als gevolg van de schaalvergroting en marktverruiming die ook op cultureel terrein zullen optreden als de interne markt voltooid is.
Het juridische onderzoek is verricht door mr. J.M.E. Loman, prof. mr. K.J.M. Mortelmans en dr. H.H.G. Post. De deelstudies betreffen de volgende terreinen: muziek (H.O. van den Berg), dans (M. van Gemert), toneel (mr. J. Jong), letteren (drs. J. Honout), beeldende kunst (drs. R.H. Fuchs), bouwkunst (dr. N.J.M. Nelissen en drs. C.L.F.M. de Vocht), film (W. Verstappen), musea (drs. R. J. Willink) en amateuristische kunstbeoefening en kunstzinnige vorming (H. J. M. Mali).
Niet tot het object van deze studie behoort de omroep. De EG houdt zich immers op dit moment al expliciet bezig met regelvorming ten aanzien van dit terrein; bij voorbeeld in de recent tot stand gekomen Europese richtlijn voor grensoverschrijdende omroep.

Bij deze deelstudies is uitgegaan van de volgende vooronderstellingen:
- Het EEG-Verdrag blijft zoals het is, dat wil zeggen: er worden geen bepalingen in opgenomen die de werking ervan uitzonderen voor nationaal cultuurbeleid.

- De jurisprudentie ontwikkelt zich in dezelfde richting als tot nu toe, waar het gaat om de toepassing van het EEG-Verdrag op nationale regelgeving met betrekking tot cultuur.

Deze studies hebben noodzakelijkerwijs een voorlopig, beperkt en speculatief karakter. *Voorlopig* en *speculatief*, omdat de toepassing van het EEG-Verdrag, met name in rechterlijke uitspraken, een doorlopend proces is van een, zeker met betrekking tot cultuurbeleid, onvoorspelbaar karakter. *Beperkt*, omdat niet alle aspecten van het Nederlandse cultuurbeleid zijn onderzocht met het oog op de gevolgen die de invoering van de interne markt zal kunnen hebben. Ook in ander opzicht dient het voorlopig karakter van de deelstudies in het oog gehouden te worden. Zij zijn verricht zonder dat de afzonderlijke onderzoekers kennis van elkaars werkwijze en bevindingen hadden, terwijl zij slechts de beschikking hadden over een eerste versie van de studie naar de juridische aspecten van de totstandkoming van de interne markt.

In de deelstudies is de aandacht vrijwel uitsluitend gericht op het *nationale* cultuurbeleid. Ook hierin komt het verkennende element naar voren. Want in termen van het EEG-Verdrag wordt geen onderscheid gemaakt tussen de centrale overheid, en lokale en regionale overheden. Ook al is dit onderzoek niet ingegaan op het cultuurbeleid in Nederland van gemeenten en provincies, toch moet men zich voor ogen houden dat de gevolgen van de toepassing van EEG-Verdrag en EG-recht daar dezelfde zullen zijn als voor het nationale cultuurbeleid.

Dit rapport beoogt een analytische samenvatting te geven van het verrichte onderzoek, de bevindingen ervan op vergelijkbare wijze te presenteren, in een bredere context te plaatsen, en daaruit enige conclusies en aanbevelingen af te leiden. Op deze wijze wordt hen, die beroepsmatig of anderszins geïnteresseerd zijn in de Nederlandse cultuurpolitiek, de mogelijkheid geboden zich snel op de hoogte te stellen van de veranderende situatie als gevolg van de doorvoering van het EEG-Verdrag.

Hiermee is overigens niet gezegd dat dit rapport de afzonderlijke studies kan vervangen. In Bijlage I staat een overzicht van deze studies, en van de wijze waarop men ze kan verkrijgen. Het rapport over de juridische aspecten van het EEG-Verdrag met betrekking tot cultuur, *De Europese Gemeenschappen en cultuurbeleid; een juridische analyse,* is in dezelfde uitvoering als dit rapport bij de uitgeverij Kerckebosch verschenen.

De opzet van het rapport is als volgt.
In hoofdstuk 2 wordt aan de hand van het EEG-Verdrag en daarop gebaseerde jurisprudentie geschetst welke juridische belemmeringen voor een nationaal cultuurbeleid zullen optreden als gevolg van de voltooiing van de interne markt.
Hoofdstuk 3 geeft een globaal overzicht van het Nederlandse cultuurbeleid. De hoofdstukken 4 tot en met 12 geven de resultaten weer van de deelstudies betreffende de strijdigheid van bestaande Nederlandse regelgeving met het EEG-Verdrag.
Hoofdstuk 13 bevat een overzicht van de vermoedelijke consequenties voor het Nederlandse cultuurbeleid op de hier onderscheiden terreinen als gevolg van schaalvergroting en marktverruiming.
In hoofdstuk 14 volgen conclusies en aanbevelingen.

2. De Europese Gemeenschappen en de totstandkoming van de interne markt

Op 2 en 3 december 1985 bereikte de Europese Raad (bestaande uit staatshoofden en regeringsleiders van de landen van de Europese Gemeenschap) overeenstemming over onder andere een beperkte herziening van het Verdrag van Rome en over het vóórnemen voor 31 december 1992 een interne markt tot stand te brengen. Deze besluiten zijn neergelegd in de zogenaamde Europese Akte. De interne markt wordt daarin omschreven als 'een ruimte zonder binnengrenzen waarin het vrij verkeer van goederen, personen, diensten en kapitaal volgens de bepalingen van het Verdrag is gewaarborgd'. De Akte trad op 1 juli 1987 in werking. Sindsdien wordt gewerkt aan de uitvoering van de 279 voorstellen die volgens het desbetreffende Witboek van de EG moeten leiden tot aanpassing van nationale regelingen en wetgeving, teneinde de interne markt tot stand te brengen.

In feite is de aanvaarding van de Europese Akte en de uitvoering van het daarin beslotene een poging het stagnerende proces van economische integratie in het gebied van de Europese Gemeenschap, zoals indertijd voorgenomen in het oorspronkelijke EEG-Verdrag, het Verdrag van Rome (1957), weer op gang en daarna tot voltooiing te brengen. De totstandkoming van de interne markt betekent dan ook niet het ontstaan van een volstrekt andere situatie als het gaat om de relatie tussen de EG en nationaal cultuurbeleid, maar eerder een intensivering van al bestaande processen (die met name in beschikkingen van de Europese Commisie en uitspraken van het Hof van Justitie van de EG hun beslag krijgen).

De voornaamste gevolgen van het verdwijnen van de binnengrenzen in het Europa van de EG zullen enerzijds economische schaalvergroting zijn, anderzijds een verdere beperking van de mogelijkheden van nationale overheden om in marktprocessen in

te grijpen. Het eerste is een van de voornaamste doelstellingen van de Europese Akte. Marktverruiming als gevolg van deze schaalvergroting zal ook voor bepaalde onderdelen van het nationale cultuurbeleid gevolgen kunnen hebben; deze zijn in hoofdstuk 13 van dit rapport opgetekend.
Het tweede gevolg is zeker ten aanzien van nationaal cultuurbeleid vooral een niet als zodanig bedoelde implicatie van de Europese Akte. Cultuurbeleid behoort immers niet tot de bevoegdheid van de EG.

De consequenties van EEG-Verdrag en Europese Akte voor het nationale cultuurbeleid kunnen globaal in twee categorieën verdeeld worden. In de eerste plaats kan bekeken worden welke nieuwe mogelijkheden voor nationaal cultuurbeleid worden geboden door het EEG-Verdrag, communautaire regelgeving en de interpretatie daarvan door het Europese Hof. In de tweede plaats kan worden nagegaan welke bestaande onderdelen van nationaal cultuurbeleid daardoor onmogelijk worden.
De eerste categorie komt in dit rapport slechts zijdelings, en niet systematisch, aan de orde; voornamelijk omdat van zulke mogelijkheden – bij voorbeeld in de vorm van Europese subsidiefondsen en cultuurpolitieke regelgeving – niet of nauwelijks sprake is. In de studie over de juridische aspecten wordt overigens uitvoerig ingegaan op de mogelijkheden voor nationaal cultuurbeleid om te profiteren van bestaande EG-fondsen die niet rechtstreekse cultuurpolitieke doelstellingen hebben.

De tweede categorie staat derhalve centraal. De aandacht is vooral gericht op één implicatie van het EEG-Verdrag en de Europese Akte voor het nationale cultuurbeleid: het feit dat directe of indirecte discriminatie naar nationaliteit niet meer mogelijk zal zijn. Van een tweede implicatie: het verbod op concurrentievervalsende nationale steunmaatregelen, worden de contouren omschreven.

Het grote probleem bij het in kaart brengen van de mogelijke

gevolgen van EEG-Verdrag en Europese Akte voor de Nederlandse cultuurpolitiek is gelegen in het feit dat deze gevolgen slechts indirect kunnen worden afgeleid uit het Verdrag. Dit is immers gericht op (en beperkt tot) het economisch verkeer. Terreinen die daartoe niet gerekend kunnen worden – zoals bij voorbeeld cultuurbeleid, maar ook onderwijspolitiek – blijken niettemin voor wat bepaalde aspecten aangaat onder de werkingssfeer van het EEG-Verdrag te vallen. Dit is echter niet zonder meer van te voren duidelijk. In feite komt de incorporering van zulke aspecten in de werkingssfeer van het Verdrag op twee manieren tot stand.
In de eerste plaats heeft de Europese Commissie volgens het Verdrag de bevoegdheid om, uiteindelijk in een procedure voor het Europese Hof, een lidstaat aan te zetten tot het veranderen of buiten toepassing verklaren van een nationale regeling die strijdig wordt geacht met het EEG-Verdrag.
In de tweede plaats hebben veel artikelen uit het EEG-Verdrag rechtstreekse werking. Dat wil zeggen dat individuele burgers daarop een beroep kunnen doen bij de nationale rechter, bij voorbeeld wanneer zij een nationale regeling in strijd achten met het Gemeenschapsrecht. De nationale rechter kan in geval van twijfel de zaak voorleggen aan het Europese Hof. Dit kan vervolgens beslissen of er inderdaad sprake is van onverenigbaarheid van de nationale regel met het EEG-Verdrag.

Uit de arresten van het Hof is gebleken dat terreinen, waarvoor het EEG-Verdrag geen expliciete regels geeft, toch binnen de werkingssfeer van het Verdrag kunnen vallen zodra er economische gevolgen aan zijn verbonden. Dit blijkt ook te gelden voor elementen op het terrein van nationale cultuurpolitiek.

Daarbij heeft het Hof verschillende keren vastgesteld dat de uitzonderingen op de Verdragsbepalingen – bij voorbeeld een beroep op een nationaal belang als cultuur – eng moeten worden geïnterpreteerd, en dat zij in ieder geval niet economisch van aard mogen zijn.

Uit de jurisprudentie blijkt dat er nog niet met succes een beroep op een uitzondering op de Verdragsbepalingen is gedaan gebaseerd op 'cultuur'; in geen enkele zaak waarbij dit argument werd aangevoerd, is dit als zodanig door het Hof aanvaard.

Dezelfde jurisprudentie laat ook zien dat zo'n uitzondering mogelijkerwijs op twee verschillende gronden door het Hof zou kunnen worden aanvaard. In de eerste plaats zou een beroep op een van de verdragsrechtelijke uitzonderingen kunnen worden gehonoreerd, zelfs indien de betreffende nationale regeling discriminerend is ten opzichte van buitenlandse produkten of onderdanen. Die uitzonderingen zijn vastgelegd in artikel 36 van het EEG-Verdrag. Daarin worden de bescherming van de openbare zedelijkheid, de openbare orde, de openbare veiligheid, de gezondheid en het leven van personen, dieren of planten, het nationaal artistiek, historisch en archeologisch bezit en de industriële en commerciële eigendom genoemd als basis voor een uitzondering op het vrije verkeer van goederen en personen en diensten binnen de EG. Het lijkt waarschijnlijk dat enkele van deze uitzonderingsgronden van toepassing kunnen zijn bij het handhaven van een nationaal cultuurbeleid.
In de tweede plaats zou het Hof een uitzondering gebaseerd op 'cultuur' toe kunnen voegen bij de dwingende eisen genoemd in het zogenaamde Cassis de Dijon-arrest. In dat arrest werden andere uitzonderingen dan die genoemd in artikel 36 geaccepteerd, zoals de doeltreffendheid van fiscale controles, de bescherming van de volksgezondheid en de bescherming van consumenten. Deze opsomming was niet uitputtend, en kan dus met andere worden aangevuld. Dit is inmiddels gebeurd voor wat betreft milieubeschermingsargumenten. In geval van een beroep op de Cassis de Dijon-jurisprudentie moet echter niet alleen aan de in dat arrest gestelde voorwaarden zijn voldaan, maar mag de betreffende regel niet ook discriminerend naar nationaliteit zijn.

Men zou bij het in kaart brengen van de werkingssfeer van het EEG-Verdrag uit kunnen gaan van drie zones, een witte, een grijze en een zwarte. De witte zone betreft dan die beleidsterreinen waarop het EEG-recht niet of nauwelijks invloed uitoefent, zoals bijvoorbeeld dat van de nationale defensie. De zwarte zone beslaat de beleidsterreinen die door het Gemeenschapsrecht worden bepaald of rechtstreeks beïnvloed. Hiervan is landbouw een treffend voorbeeld. Tenslotte is er de grijze zone. Hier zijn de nationale overheden nog bevoegd, maar zij moeten wel rekening houden met de grenzen die het Gemeenschapsrecht stelt – zoals het beginsel van non-discriminatie.

Cultuur bevond zich naar de overtuiging van zeker de nationale overheden altijd in de witte zone. Maar de uitspraken van het Europese Hof hebben de laatste jaren duidelijk gemaakt dat het beleidsterrein van de cultuur zich al gedeeltelijk in de grijze zone bevindt.

Aldus worden de consequenties van het EEG-Verdrag voor het nationale cultuurbeleid slechts duidelijk op een *ad hoc*-basis; niet via overzichtelijke regelgeving vooraf, maar door de groei van jurisprudentie achteraf. Dit maakt het bijna onmogelijk die consequenties nu met zekerheid vast te stellen. Eén van de middelen om op termijn meer duidelijkheid te verkrijgen zou het uitlokken zijn, op dit punt, van een uitspraak van het Europese Hof.

Voor nationaal cultuurbeleid zijn, naast het non-discriminatiebeginsel, van belang de bepalingen van het EEG-Verdrag die steunverlening door de staat verbieden als concurrentievervalsend. Vast staat dat het Europese Hof een ruime interpretatie aan de begrippen 'steun' en 'staat' geeft. Ook hier zijn uitzonderingen mogelijk op basis van het EEG-Verdrag. Deze uitzonderingen betreffen echter in de eerste plaats economische factoren. Het zal moeilijk zijn 'cultuur' als zo'n uitzonderingsgrond aanvaard te krijgen. Maar ook dan mag een steunverleningsmaatregel niet naar nationaliteit discrimineren.★

★ In het rapport *De Europese Gemeenschappen en cultuurbeleid* (zie Bijlage I) wordt uitvoerig ingegaan op het probleem van de steunverlening met betrekking tot nationaal cultuurbeleid. In de deelstudies, waarop de volgende hoofdstukken zijn gebaseerd, is aan het probleem van steunverlening weinig aandacht besteed. Dit is het gevolg van het feit dat dit onderwerp in de eerste

Voor het Nederlandse cultuurbeleid is 'behoud van de Nederlandse taal' het wellicht belangrijkste argument voor specifieke steunmaatregelen. Het is bij gebrek aan uitspraken van Commissie en Hof over deze of vergelijkbare uitzonderingsmogelijkheden niet mogelijk hierover iets met zekerheid te zeggen.

versie van het juridische rapport, de versie dus waarover de schrijvers van de deelstudies beschikten, nog niet systematisch was behandeld.

3. Het Nederlandse cultuurbeleid

Wanneer men kunst en cultuur beziet in het licht van processen van vraag en aanbod, dan geldt voor veel elementen daarvan dat zij op basis van marktoverwegingen niet kunnen bestaan, althans niet in de vorm die zij heden ten dage hebben. De redenen daarvoor lopen uiteen. In veel vormen van kunst is bij voorbeeld de arbeidsproduktiviteit al eeuwen constant; wanneer men dit gegeven in de inkomens van de uitvoerende kunstenaars tot uiting zou laten komen, dan zouden zij allang de hongerdood zijn gestorven. Andere vormen van cultuur kunnen niet in markttermen worden bezien, omdat zij het karakter van een collectief goed hebben, zoals monumenten.

Als sinds het eind van de vorige eeuw voert de Nederlandse overheid – nadat dit na 1815 geleidelijk in onbruik was geraakt – een cultuurbeleid, dat met name na de Tweede Wereldoorlog sterk in zijn werkingssfeer is uitgebreid. Beleidsmatig is een aantal terreinen die begripsmatig tot 'cultuur' gerekend zouden kunnen worden, overigens geen onderdeel van de Nederlandse cultuurpolitiek: het onderwijs, het wetenschappelijk onderzoek, de ruimtelijke ordening. Zij vallen daarom buiten het bestek van deze studie. Dat geldt ook op andere, al genoemde gronden voor de omroep. De terreinen die in deze studie wel aan de orde komen beslaan echter het overgrote deel van de werkingssfeer van het Nederlandse cultuurbeleid.
Dit cultuurbeleid heeft in het algemeen het karakter van interventies daar waar marktprocessen niet voldoende zijn om culturele goederen te produceren en voor een breed publiek toegankelijk te houden.
Deze interventies nemen in het algemeen de vorm aan van wet- en regelgeving alsmede subsidiëring. Zeker in verhouding tot de meeste andere lidstaten van de EG kent Nederland een fijn vertakt en intensief cultuurbeleid. Er zijn zeer veel terreinen van kunst en cultuur waar de overheid – nationaal of lager – zich mee bemoeit; de overheidsbemoeienis gaat vaak diep en is fijn vertakt. Er zijn

vele en uiteenlopende vormen van subsidiëring: sommige rechtstreeks voorziend in het levensonderhoud van kunstenaars; andere als aanvullende honoraria, toegekend op basis van inkomenspositie dan wel geleverde prestatie; weer andere subsidiesoorten zijn rechtstreeks gericht op financiering van objecten als theaters of literaire tijdschriften. De veelsoortigheid van de subsidie- en ondersteuningsregelingen in het Nederlandse cultuurbeleid is uniek in de EG en maakt het onmogelijk hen in algemene termen samen te vatten.
Al deze instrumenten staan ten dienste van de doelstellingen van het Nederlandse cultuurbeleid, die voor het eerst werden uiteengezet in de nota *Kunst en kunstbeleid* van de Minister van Cultuur, Recreatie en Maatschappelijk Werk (1976). Centraal staan daarin: het behoud van het culturele erfgoed, het ondersteunen van vernieuwing in de kunst, de spreiding van het aanbod aan kunst en cultuur over de gehele Nederlandse bevolking en de bevordering van de deelname van die bevolking aan kunst en cultuur.
Deze doelstellingen zijn in de kern door de jaren heen dezelfde gebleven, ook al zijn op de uitwerking verschillende accenten gelegd. Het meest recentelijk zijn zij officieel vastgelegd in de notitie *Cultuurbeleid* van de Minister van Welzijn, Volksgezondheid en Cultuur (1985). Daarin is onder andere 'maatschappelijke relevantie' als een criterium bij behoud en vernieuwing opgegeven, en wordt de nadruk in hoge mate gelegd op artistieke kwaliteit als basis voor ondersteuning van kunst door de overheid.
'Aanbod', 'distributie' en 'participatie' zijn sleuteltermen in de notitie *Cultuurbeleid*. Met de eerste term wordt bedoeld dat het zorg dragen voor een kwalitatief hoogstaand aanbod aan kunst en cultuur, niet rechtstreeks afhankelijk gesteld van publieke belangstelling, een van de peilers van het kunst- en cultuurbeleid is. Met 'distributie' wordt verwezen naar instrumenten die ervoor kunnen zorgen dat de aangeboden kunst bereikbaar en toegankelijk wordt voor het beoogd publiek; en 'participatie' verwijst naar de mate waarin door de bevolking daadwerkelijk gebruik wordt gemaakt van het aanbod aan kunst.

In het *Plan voor het Kunstbeleid 1988-1992* is een instrumentarium ontwikkeld met behulp waarvan het Nederlands cultuurbeleid in termen van de doelstellingen 'aanbod', 'distributie' en 'participatie' gestalte wordt gegeven.

Als in de hierna volgende hoofdstukken over de afzonderlijk onderzochte terreinen daarover niets naders wordt gezegd, wordt er vanuit gegaan dat ook op dat afzonderlijke terrein behoud, vernieuwing en toegankelijkheid de drie overheidsdoelstellingen ten aanzien van de betreffende kunstvorm zijn.

4. Het Nederlandse cultuurbeleid: muziek

4.1 Algemeen

Om de al in hoofdstuk 3 genoemde redenen is het in de categorie muziek niet mogelijk een behoorlijk aanbod in stand te houden door middel van de ondernemingsgewijze exploitatie van deze kunstvorm. Het cultuurbeleid van de Nederlandse overheid is erop gericht een hoogwaardig aanbod in stand te houden, en het schept daarvoor ook de infrastructurele voorzieningen, zoals gespecialiseerde onderwijsinstellingen.
Een verscheidenheid aan subsidies en fondsen is ook hier het voornaamste instrument van het Nederlandse cultuurbeleid. Met betrekking tot muziek worden in dit verband de volgende elementen in het beleid onderscheiden:
- Het muziekvakonderwijs.
- De uitvoeringspraktijk.
- De impresariaten.
- De componisten.
- Jazz en popmuziek.

4.2 Muziek en het EEG-Verdrag

Het muziekvakonderwijs
Dit is geconcentreerd in de Nederlandse conservatoria, en valt onder de verantwoordelijkheid van de overheid. De toegang ertoe geschiedt op basis van kwaliteitscriteria. De hoogte van het inschrijvingsgeld is dezelfde voor Nederlanders en niet-Nederlanders. Van strijdigheid met het EEG-Verdrag is op dit punt geen sprake. Iets anders is het hanteren van quota; dit middel wordt soms gebruikt om het aantal buitenlandse studenten te beperken. Dit is in strijd met het discriminatieverbod naar nationaliteit, voorzover het studenten uit andere EG-lidstaten betreft.

De uitvoeringspraktijk

De Nederlandse orkesten, operagezelschappen en kamermuziekensembles engageren hun uitvoerende musici louter op basis van kwaliteitscriteria. Hier treedt het probleem van discriminatie naar nationaliteit niet op.

De impresariaten

Op het door de rijksoverheid gesubsidieerde Nederlands Impresariaat na, is de organisatie van muziekuitvoeringen in Nederland een zaak van particuliere ondernemingen. Het Nederlands Impresariaat heeft tot doelstelling het bevorderen van de Nederlandse toonkunst, in het bijzonder de kamermuziek. Omdat het Nederlands Impresariaat – als enige impresariaat in Nederland – van rijkswege wordt gesubsidieerd, moet deze doelstelling in strijd worden geacht met het verbod op discriminatie naar nationaliteit. Dit zou immers in de termen van EEG-Verdrag en Europese Akte als vorm van oneerlijke concurrentie kunnen worden uitgelegd.

De componisten

Nederlandse componisten van ernstige muziek worden gesubsidieerd via het Fonds voor de Scheppende Toonkunst en de Stichting Donemus. Met geld van de Nederlandse auteursrechtorganisaties Buma en Stemra worden componisten eveneens gesteund via de fondsen Bfo en Conamus. (Hier gaat het dus niet om overheidssubsidie.) Deze fondsen hanteren geen inkomenscriterium, maar zijn uitsluitend bedoeld voor componisten van Nederlandse nationaliteit of voor hen, die hier tenminste een aantal jaren woonachtig zijn. Het is twijfelachtig of het nationaliteitscriterium gehandhaafd kan blijven.

Jazz en popmuziek

De overheidssteun aan jazzmuziek loopt over de Stichting Jazz in Nederland. Deze hanteert naast kwaliteitseisen een beperkt nationaliteitscriterium, dat waarschijnlijk als discriminerend moet worden aangemerkt t.a.v. burgers uit andere EG-lidstaten.

De Stichting Popmuziek Nederland subsidieert popconcerten, door aanvullende honoraria te verschaffen bij door anderen (bijvoorbeeld jongerencentra) georganiseerde en gefinancierde concerten. In de praktijk betreft het hier vooral optredens van Nederlandse groepen; dit is echter niet het gevolg van het aanleggen van een nationaliteitscriterium, maar vloeit vooral voort uit financiële overwegingen. Van mogelijke strijdigheid met het discriminatieverbod is geen sprake. Wel eist de Stichting dat groepen, om voor subsidie in aanmerking te komen, in Nederland moeten werken en verblijven. Het is de vraag – niet alleen in dit geval – of zo'n eis kan worden aangemerkt als een indirecte discriminatie naar nationaliteit.

4.3 De gevolgen

Het muziekvakonderwijs

De Nederlandse opleidingen tellen nu al veel buitenlandse studenten, waarschijnlijk omdat de toelating relatief gemakkelijk is, en verhoudingsgewijs goedkoop. Wanneer de EG-lidstaten elkaars opleidingen en diploma's gaan erkennen, en het studenten mogelijk wordt gemaakt met behoud van hun studiebeurs in de lidstaat van hun voorkeur te studeren, zijn er in beginsel geen institutionele beletselen meer voor een onbelemmerd internationaal verkeer van studenten binnen de EG. Waar het Nederlandse muziekvakonderwijs vergelijkenderwijs een redelijke kwaliteit heeft, en zich onderscheidt door de breedte van het vakkenpakket, moet het aantrekkelijk voor buitenlanders worden geacht.
Het is echter twijfelachtig of er, na het wegnemen van de bovengenoemde belemmeringen – hetgeen los staat van de voltooiing van de interne markt – een grote toevloed van buitenlandse studenten naar de Nederlandse opleidingen op zal treden. Er zijn immers enerzijds factoren die het studeren in Nederland voor de meeste buitenlanders bemoeilijken – bij voorbeeld de taal –, anderzijds factoren van allerlei aard die het studeren in eigen land en omgeving meer voor de hand liggend doen zijn.

De uitvoeringspraktijk

Nu reeds is een groot aantal buitenlandse musici werkzaam in Nederland; '1992' zal daaraan niets veranderen. Binnen de EG is er overigens ook nu al geen discriminatie naar nationaliteit bij het engageren van musici; in het algemeen kan gesteld worden dat om een aantal redenen er verhoudingsgewijs altijd meer buitenlandse musici in Nederland werkzaam zullen zijn, dan Nederlandse in het buitenland.

Het Nederlands Impresariaat

Hier zal de Nederlandse nationaliteit als voorwaarde om in aanmerking te komen voor subsidie moeten vervallen. Veel belangrijker voor subsidiëring is echter de financiële norm die het Nederlands Impresariaat hanteert. De organiserende instantie moet tweederde van het honorarium zelf betalen; in de huidige gang van zaken zijn de uitkoopsommen die worden betaald voor een reeks optredens van meer belang voor subsidiëring dan het nationaliteitscriterium. De buitenlandse kamermuziekensembles die nu in Nederland optreden, behoren tot de duurdere; zij zouden daarom niet voor subsidiëring in aanmerking komen als het nationaliteitscriterium ware vervallen. Gezien de relatieve dichtheid aan kamermuziekensembles die ons land kenmerkt, is het onwaarschijnlijk dat na opheffing van het nationaliteitscriterium een veelheid aan minder bekende en goedkopere buitenlandse ensembles de concurrentie hier aan zal gaan met de Nederlandse.

De componisten

Het lijkt onvermijdelijk dat bij de subsidiëring van componisten het criterium van nationaliteit wordt geschrapt. Dit betekent dat componisten uit andere EG-lidstaten aanspraak kunnen gaan maken op de Nederlandse fondsen. Doorslaggevend is echter het kwaliteitscriterium. Het valt niet in te zien waarom toepassing daarvan Nederlandse dan wel niet-Nederlandse componisten speciaal zou bevoordelen. Dit temeer omdat het Fonds een inkomenscriterium aanlegt. Niettemin is de mogelijkheid niet uitgesloten dat componisten uit andere EG-lidstaten mee zullen dingen naar Nederlandse steun, waardoor – bij een gelijk blijvend budget – de spoeling voor Nederlandse componisten dan dunner wordt. Temeer omdat de andere EG-lidstaten niet soortgelijke mogelijkheden aan hen bieden.

Jazz en popmuziek

Het laten vallen van het beperkte nationaliteitscriterium door de Stichting Jazz in Nederland zal mogelijk leiden tot een toevloed van jazz-musici uit de andere EG-lidstaten. Nu al echter maken vele buitenlandse musici gebruik van de Nederlandse regelingen; vooral Amerikaanse. Ook hier werkt het inkomenscriterium echter als een belemmering voor een toevloed uit het buitenland.

5. Het Nederlandse cultuurbeleid en de dans

5.1 Algemeen

Hier is de facto het Nederlandse cultuurbeleid niet gericht op de bevordering van *Nederlandse* dans, maar op die van dans in Nederland. Dit komt tot uiting in het feit dat in de subsidiërings-instrumenten van de overheid met betrekking tot de dans in het algemeen geen nationaliteitscriterium voorkomt.
De voornaamste elementen waarop overheidsbeleid ten aanzien van de dans betrekking heeft zijn:
- De dansvakopleidingen.
- De danswerkplaatsen en speelplekken voor jonge choreografen moderne dans.
- De grote dansgezelschappen.

5.2 Dans en het EEG-Verdrag

De Nederlandse dansvakopleidingen hebben geen pendant in de andere lidstaten van de EG. Overal elders is de dansopleiding georganiseerd als onderdeel van een gezelschap. De toegang tot de opleidingsinstituten in Nederland staat open voor buitenlanders. In zoverre doet het probleem van discriminatie naar nationaliteit zich niet voor.
De zogenaamde danswerkplaatsen en speelplekken voor jonge choreografen hanteren evenmin een nationaliteitscriterium bij de toelating. Het is nu al zo dat het aantal buitenlanders dat van dit circuit gebruik maakt zeer groot is.
De grote dansgezelschappen in Nederland recruteren hun dansers en choreografen voornamelijk op basis van kwaliteit; ook hier is geen sprake van strijdigheid met het EEG-Verdrag. Het aantal buitenlandse dansers en choreografen dat aan deze gezelschappen

is verbonden, is aanzienlijk. De kleinere gezelschappen nemen eveneens in verhouding steeds meer buitenlanders aan. Het hanteren van kwaliteitseisen lijkt namelijk nadelig uit te vallen voor Nederlandse dansers, aangezien de Nederlandse dansvakopleidingen meer op educatie zijn gericht dan op prestatie en techniek.

5.3 Gevolgen

De huidige situatie verandert niet of nauwelijks als het nondiscriminatiebeginsel van het EEG-Verdrag volledig is verwerkelijkt. Er zijn immers op dit terrein nu al geen formele belemmeringen die dansers en choreografen in de weg staan om in Nederland te werken. Omgekeerd wordt het voor Nederlandse dansers en dansgezelschappen gemakkelijker de internationale concurrentie binnen Europa aan te gaan.

6. Het Nederlandse cultuurbeleid ten aanzien van toneel

6.1 Algemeen

Doel van het Nederlandse cultuurbeleid ten aanzien van het toneel is ervoor zorg te dragen dat er – binnen de algemene doelstellingen van dat beleid – een artistiek volwaardig aanbod aan toneelkunst bestaat, waarvan de toegankelijkheid zo weinig mogelijk wordt belemmerd door financiële en geografische barrières. Aangezien ook hier zo'n aanbod niet kan bestaan op basis van marktprijzen, intervenieert de Nederlandse overheid in de markt van het toneel met subsidieregelingen.
Deze kunnen worden onderscheiden in directe en indirecte subsidies. Bij de eerste stelt de overheid op artistieke en andere voorwaarden geld ter beschikking dat toneelproducenten in staat stelt toneelvoorstellingen te geven. Het toneelbestel in Nederland is gebaseerd op de volgende soorten directe subsidies:

- Instandhoudingssubsidies. Deze betreffen met name de drie grote repertoiregezelschappen in de Randstad en die gezelschappen die voor wat betreft hun artistieke kernfuncties steeds voor een periode van vier jaar worden gesubsidieerd. Daarnaast betreft het gezelschappen waarvan het organisatorische gedeelte iedere vier jaar ter discussie staat.
- Ad hoc-subsidies. Deze worden, op advies van de Raad voor de Kunst, toegekend om één bepaalde produktie uit te brengen.
- Voorstellingssubsidies.
- Produktiesubsidies. Deze verschillen van ad hoc-subsidies in het feit dat zij in het algemeen geen bijdrage ten behoeve van salariskosten bevatten; onder deze noemer valt ook de ondersteuning van musical-produkties.
- Ontwikkelingssubsidies. Hierbij worden onder andere kinder- en jeugdtheatergezelschappen ondersteund in de allereerste fase van hun bestaan.

- Subsidies ter bevordering van deskundigheid.
- Beurzen en stipendia.
- Andere. Bij voorbeeld de instandhouding van het Nederlands Theaterinstituut.

Indirecte subsidiëring van toneel vindt plaats doordat toneelproducenten hun voorstellingen aan (gemeentelijke) schouwburgen verkopen voor een bedrag dat los staat van het feitelijk aantal bezoekers. Aldus wordt toneel indirect gesubsidieerd door de overheid, die de schouwburg in stand houdt op grond van algemene cultuurpolitieke overwegingen, namelijk de aanwezigheid van een schouwburg als gemeenschapsvoorziening.

Een ander instrument van cultuurpolitiek zijn enkele fondsen die mede ten dienste staan van de produktie en verspreiding van Nederlands toneel (maar waar ook andere kunstvormen aanspraak op kunnen maken): het Stimuleringsfonds Culturele Omroepprodukties, het Co-produktiefonds Buitenlandse Omroep en het Toneel/T.V.-fonds.

6.2 Het toneelbestel en het EEG-Verdrag

Om na te gaan of, en zo ja in hoeverre, dit toneelbestel in strijd is met het EG-recht, is het nodig vast te stellen of er in de onderscheidene voorwaarden ten aanzien van subsidies en fondsen bepalingen zijn te vinden van een in de zin van het EEG-Verdrag discriminatoir karakter.
Tot de criteria waaraan moet worden voldaan om in aanmerking te komen voor directe subsidie behoort niet de eis dat men Nederlander dient te zijn. In principe kan iedereen uit de bij de EG aangesloten staten aanspraak maken op subsidie. Nu al maken in Nederland verblijvende buitenlandse theatermakers gebruik van indirecte en directe Nederlandse subsidie. Men moet wel voldoen aan andere voorwaarden – zoals het geven van een minimum aantal voorstellingen in Nederland. Zulke voorwaar-

den, evenals bij voorbeeld een vestigingseis, zijn waarschijnlijk niet zonder meer discriminatoir in de zin van het EEG-Verdrag. Bij de zogenaamde produktie-subsidies wordt in het algemeen geen subsidie gegeven voor de salariskosten. Daardoor wordt het betreffende gezelschap gedwongen 'te werken met behoud van uitkering'. Deze figuur kan men zien als een vorm van indirecte subsidiëring. 'Werken met behoud van uitkering' is een mogelijkheid binnen het Nederlandse stelsel van sociale zekerheid. Volgens het huidige uitgangspunt van de EG berust de inrichting van het stelsel van sociale zekerheid bij de nationale overheid, en hoeft deze in het streven naar Europese eenwording niet de verworvenheden van haar afzonderlijke stelsel prijs te geven. Deze vorm van indirecte subsidiëring is derhalve niet discriminatoir te achten.
Het Stimuleringsfonds Culturele Omroepprodukties heeft tot doel Nederlandse produkties van 'Nederlandse culturele aard' te stimuleren, die verzorgd worden door de NOS of Nederlandse omroepverenigingen. Van 'Nederlandse culturele aard' is sprake als het bestuur van het Fonds oordeelt dat de produktie een hoogwaardig artistiek gehalte heeft en in overwegende mate van Nederlandse origine is. Deze bepalingen kunnen worden uitgelegd als discriminerend in de zin van het EEG-Verdrag.

6.3 De gevolgen

De gevolgen voor het Nederlandse toneelbestel als uitvloeisel van de voltooiing van de interne markt in de EG lijken op dit moment niet ingrijpend. De Nederlandse directe en indirecte subsidieregels zijn niet in strijd met het EEG-Verdrag. Ook nu al maken vele buitenlandse producenten van toneel gebruik van deze regels. Het is niet aannemelijk dat op termijn het beroep dat door niet-Nederlandse toneelproducenten succesvol wordt gedaan op Nederlandse overheidssubsidies zo stijgt dat de Nederlandse toneelproduktie daardoor in het gedrang komt.
Hierbij speelt het criterium van de taal een belangrijke rol. Naast eisen ten aanzien van artistieke kwaliteit vormt de eis dat de te

subsidiëren produktie (of persoon, bij voorbeeld in het geval van een schrijversstipendium voor toneelwerk) gebruik maakt van de Nederlandse taal een veel (maar niet altijd) voorkomend element in de subsidievoorwaarden. Deze eis betreft echter niet de nationaliteit maar de taal, en is waarschijnlijk niet discriminerend in termen van het EG-recht. Niettemin functioneert de taaleis uiteraard als een forse barrière voor niet-Nederlandstalige toneelmakers. Alleen Vlaamse toneelmakers kunnen binnen de EG op een vergelijkbare basis als Nederlandse naar Nederlandse subsidies dingen. Het omgekeerde geldt ook, maar het Belgische cultuurbeleid is financieel schraler dan het Nederlandse. Het moet daarom niet onwaarschijnlijk worden geacht dat juist hier verscherpte concurrentie op zal treden.
Dit is eveneens mogelijk bij het beroep dat op het Stimuleringsfonds wordt gedaan. Produkties 'van Nederlandse culturele aard' hoeven immers in het geheel niet door Nederlanders te zijn gemaakt.
Een afzonderlijke vraag is of de indirecte subsidiëring van toneel via schouwburgen niet uitgelegd kan worden als ongeoorloofde steun in de zin van het EEG-Verdrag.

7. Het Nederlandse cultuurbeleid: letteren

7.1 Algemeen

Het Nederlandse cultuurbeleid ten aanzien van de Nederlandse (dat wil zeggen: Nederlandstalige en Friestalige) literatuur heeft als algemene doelstelling het verhogen en in stand houden van de kwaliteit van in het Nederlands (en Fries) geschreven literatuur (alsmede van in deze talen vertaalde anderstalige literatuur) en het zo toegankelijk maken daarvan voor een zo breed mogelijk publiek.
De middelen die daartoe worden gehanteerd kunnen worden onderscheiden in generieke en specifieke.
De eerste maken geen onderscheid tussen zuiver literaire produkten en andere boeken en tijdschriften. Het gaat hier in essentie om de vaste boekenprijs en een laag BTW-tarief.

Het specifieke letterenbeleid heeft drie doeleinden:
- Het behoud van het nationale literaire erfgoed en de bevordering van de ontwikkeling van de Nederlandse en Friese literatuur.
- Het ontsluiten van de Nederlandse en Friese literatuur.
- Het bevorderen van de participatie in de Nederlandse en de Friese literatuur.

  De middelen of instrumenten van het specifiek letterenbeleid zijn een aantal subsidieregelingen, grotendeels uitgevoerd door het Fonds voor de Letteren.

  Tussen generieke en specifieke maatregelen in ligt het leenrecht. Op grond van het aantal jaarlijkse uitleningen in openbare bibliotheken kunnen Nederlandse auteurs en uitgeverijen aanspraak maken op een financiële toekenning.

7.2 Letteren en het EEG-Verdrag

De vaste boekenprijs

Aan de vaste boekenprijs in Nederland ligt een collectieve afspraak ten grondslag tussen alle erkende uitgevers en boekhandelaren. Ook al heeft zij geen wettelijke grondslag, naleving ervan kan afgedwongen worden door middel van civielrechtelijke procedures. Het cultuurpolitieke doel van de vaste boekenprijs is te garanderen dat uitgeverijen in staat zijn moeilijk verkoopbare genres en boeken uit te brengen, en dat daarbij een fijnmazig net van boekhandels in stand blijft.

De Nederlands-Vlaamse afspraak van 1949 om deze vaste boekenprijs in het gemeenschappelijke taalgebied in te voeren, is in 1984 door het Europese Hof voor onverbindend verklaard.

Het lage BTW-tarief

In Nederland is sprake van een verlaagd BTW-tarief op de levering en de uitleen van boeken, dagbladen, weekbladen en tijdschriften, terwijl de diensten van onder andere schrijvers en journalisten van BTW zijn vrijgesteld.

Het specifieke letterenbeleid is, zoals gezegd, door het Ministerie van WVC grotendeels toevertrouwd aan het door dit bijkans volledig gesubsidieerde Fonds voor de Letteren. Dit heeft de beschikking over een uitgebreid arsenaal aan subsidieregelingen van uiteenlopende aard. Karakteristiek voor, en gemeenschappelijk aan deze regelingen is dat zij zowel een kwaliteitseis stellen als een taalkundige voorwaarde: het indirect of rechtstreeks voor subsidie voorgedragen werk dient gesteld te zijn in het Nederlands of het Fries.

Het leenrecht heeft in de huidige opzet uitsluitend betrekking op werken van Nederlandse auteurs of in het Nederlands uitgegeven werken.

7.3 De gevolgen

De vaste boekenprijs heeft, zoals gezegd, in Nederland en België, anders dan in Frankrijk, geen wettelijke basis. Ten aanzien van de betreffende Franse wet heeft het Europese Hof inmiddels gesteld dat deze niet in strijd is met het EEG-Verdrag, tenminste voorzover het in Frankrijk zelf uitgebrachte en verhandelde boeken betreft. Vooralsnog staat de Europese Commissie op het standpunt dat grensoverschrijdende vaste boekenprijzen in strijd met het EEG-Verdrag zijn, en dat omzetting van de bestaande nationale regelingen in een vaste boekenprijs voor de hele Gemeenschap ongewenst is. Aan de andere kant worden er geen pogingen in het werk gesteld de bestaande regelingen te verbieden, en lijkt de Commissie het doel van verticale prijsbinding te accepteren. Het is daarom waarschijnlijk dat de vaste boekenprijs voorlopig gehandhaafd kan blijven.

Het lage BTW-tarief is niet in strijd met het EEG-Verdrag en zal waarschijnlijk in stand kunnen blijven.

De specifieke subsidieregelingen van het letterenbeleid hanteren alle niet het criterium van de nationaliteit, maar dat van de taal (Nederlands of Fries). Zij staan open voor auteurs van niet-Nederlandse nationaliteit. De totstandkoming van de interne markt betekent hier geen principiële verandering van de bestaande situatie. Dit betekent inmiddels wel dat met name Vlaamse schrijvers en vertalers aanspraak kunnen maken op de beurzen en subsidies van het Fonds voor de Letteren. Ook hier geldt weer dat van wederkerigheid geen sprake kan zijn, aangezien België geen overeenkomstig cultuurbeleid kent. Scherpere concurrentie tussen schrijvers en vertalers is dus mogelijkerwijs een consequentie van de voltooiing van de interne markt.

Hoe waarschijnlijk en voor de hand liggend ook, het staat echter niet vast dat 'taal' door het Europese Hof en de Europese Commissie geaccepteerd zal worden als uitzonderingsgrond voor discriminatie. Hier ligt de belangrijkste onzekerheid voor het toekomstige Nederlandse cultuurbeleid.

Het leenrecht in zijn huidige vorm lijkt niet te passen binnen het EEG-Verdrag. Het discrimineert immers naar nationaliteit: niet-Nederlandse auteurs kunnen er geen aanspraak op maken.

8. Het Nederlandse cultuurbeleid: beeldende kunst

8.1 Algemeen

Het Nederlandse beleid ten aanzien van de beeldende kunst heeft enkele jaren geleden een ingrijpende wijziging ondergaan door het afschaffen van de BKR, waardoor een vorm van rechtstreekse ondersteuning van beeldende kunstenaars verdween.
De huidige beleidsinstrumenten bestaan uit een aantal subsidieregelingen; sommige rechtstreeks gericht op kunstenaars, zoals de mogelijkheid voor kunstenaars die van een uitkering moeten rondkomen om voor hun beroepskosten een beroep op de overheid te doen. Er is de mogelijkheid voor kopers van Nederlandse kunstwerken om via het departement van WVC renteloze leningen te dien einde af te sluiten. Daarnaast zijn er aankoopsubsidies die het musea mogelijk maken hun collectie op peil te houden.

8.2 Beeldende kunst en het EEG-Verdrag

De meeste subsidieregelingen ten behoeve van beeldende kunst zijn expliciet gericht op Nederlandse kunstenaars; sommige op Nederlandse kunstwerken. Deze zijn dus in strijd met het EEG-Verdrag. Voor andere geldt dat zij stilzwijgend, zij het niet formeel, geacht worden ten goede te komen aan Nederlandse beeldende kunstenaars. Het gaat hier om bij voorbeeld de zogenaamde 1%-regeling, op grond waarvan artistieke bijdragen geleverd worden aan overheidsgebouwen.

8.3 De gevolgen

De bestaande regelingen dienen te worden ontdaan van hun discriminerende bepalingen ten aanzien van niet-Nederlanders in de EG.

Vergeleken met andere lidstaten van de EG voert Nederland een ruimhartig beleid ten aanzien van beeldende kunstenaars. Een mogelijk gevolg zou dus kunnen zijn dat buitenlandse kunstenaars zich in kleinere of grotere getale naar Nederland begeven om aanspraak op onze subsidieregelingen te kunnen maken, terwijl het omgekeerde – Nederlandse kunstenaars die naar het buitenland gaan om van daar geldende subsidieregelingen gebruik te maken – niet, of veel minder voor zal komen, omdat de regelingen buiten Nederland in het algemeen veel slechter zijn.
Anders dan in de meeste lidstaten van de EG kunnen in Nederland kunstenaars die niet van hun beroep rond kunnen komen, aanspraak maken op sociale voorzieningen, en eventueel ook op een beroepskostenregeling.
Mocht een dergelijke ontwikkeling optreden en een zekere omvang bereiken, dan zou – gezien de beperktheid van de middelen, en het feit dat het bij de huidige beroepskostenregeling niet om een 'open einde'-regeling gaat – deze ertoe leiden dat minder Nederlandse kunstenaars door het nationale cultuurbeleid zouden worden ondersteund.
Over de waarschijnlijkheid van zo'n ontwikkeling kan men echter twijfels koesteren. Beeldende kunstenaars werken niet in een cultureel vacuüm, zodanig dat zij op elke willekeurige plaats in de EG kunnen en willen werken. Hun mobiliteit lijkt niet erg groot te zijn, en tot nu toe is niet gebleken dat financiële voordelen per staat daarin verandering brengen. De belastingvrijdom die kunstenaars genieten in de Ierse Republiek heeft bij voorbeeld niet geleid tot massale vestiging van buitenlandse kunstenaars. Aan de andere kant is Nederland in geografisch, cultureel en zelfs klimatologisch opzicht geen Ierland.

9. Het Nederlandse cultuurbeleid en de bouwkunst

9.1 Algemeen

Onder 'bouwkunst' wordt in dit verband verstaan architectuur, uitgezonderd binnenhuis-, tuin- en landschapsarchitectuur en stedebouw. Aan de bouwkunst in Nederland en het beleid dienaangaande zijn de volgende aspecten te onderscheiden:

- Nationale bouwkunst en nationaal bouwkunstbeleid.
- De architectuuropleiding in Nederland.
- De welstandszorg.

In dit hoofdstuk komt daarnaast als afzonderlijk terrein de zorg voor het cultuurhistorisch erfgoed ('monumentenzorg') aan de orde.
Van deze aspecten wordt in de volgende paragrafen opgetekend welke instrumenten er in het kader van de Nederlandse cultuurpolitiek worden gebruikt, en in welke mate de doorvoering van de Europese Akte daarop haar invloed zal doen gevoelen.

9.2 Bouwkunst en het EEG-Verdrag

Nationale bouwkunst en nationaal bouwkunstbeleid
Algemene doelstelling is de verhoging van de kwaliteit van de bouwkunst, zoals uiteengezet in het *Plan voor het Kunstbeleid 1988-1992*. De voornaamste onderdelen van dit beleid zijn:

- Het wekken van belangstelling voor de bouwkunst; hiertoe worden manifestaties, publikaties en tijdschriften die daartoe bijdragen gesubsidieerd.
- Het Nederlands Instituut voor Architectuur en Stedebouw. Dit heeft tot doel informatie op het gebied van de Nederlandse architectuur te bewaren en de kennis van en belangstelling voor de culturele aspecten van de gebouwde omgeving te bevorderen.

– Bevordering van deskundigheid; dit gebeurt enerzijds door de subsidiëring van studieconferenties en dergelijke, anderzijds door het toekennen van onder andere individuele reis-, werk- en studiebeurzen. Dit laatste wordt gedaan door het Fonds voor Beeldende Kunsten, Vormgeving en Bouwkunst.

De architectuuropleiding
Deze vindt plaats zowel aan (technische) universiteiten als aan HBO-instellingen (Academies voor Bouwkunst). Bij de toelating worden geen rechtstreekse nationaliteitscriteria gesteld.

De welstandszorg
Het betreft hier de zorg voor de kwaliteit van de gebouwde omgeving, zoals die tot uiting komt in een stelsel van toezicht, regels en vergunningen met betrekking tot bouwen of verbouwen. De totstandkoming van de interne markt heeft geen consequenties voor deze verantwoordelijkheid van de Nederlandse overheid.

Het cultuurhistorisch erfgoed
Monumentenzorg is een typische verantwoordelijkheid voor de afzonderlijke lidstaten van de EG; er is dus geen rechtstreekse strijdigheid tussen de wijze waarop deze taak in Nederland wordt uitgeoefend en het EEG-Verdrag. Dat is echter wel het geval voorzover bij opdrachten tot restauratiewerkzaamheden Nederlandse architecten en bedrijven zonder meer de voorkeur krijgen.

9.3 De gevolgen

De nationale bouwkunst
Het bestaande beleid zal grondig van karakter veranderen als het nationaliteitscriterium wordt geschrapt.
Doorvoering van de Europese Akte betekent immers dat alle subsidieregelingen die exclusief voor Nederlandse ingezetenen zijn en dus discrimineren ten aanzien van ingezetenen uit andere

EG-lidstaten, zullen moeten vervallen. Een opdrachtenbeleid dat zich exclusief op Nederlandse, of in Nederland wonende architecten zou richten, is hoogstwaarschijnlijk in strijd met het EEG-Verdrag. De doorvoering van de interne markt houdt in dat ingezetenen of instellingen uit andere EG-staten een beroep kunnen gaan doen op middelen die zijn gereserveerd voor de bevordering van de *Nederlandse* bouwkunst. Hierbij moet in aanmerking worden genomen dat voor het beleid ten aanzien van bouwkunst in andere lidstaten hetzelfde geldt, en dat Nederlanders en Nederlandse ingezetenen op hun beurt naar de daarvoor beschikbaar gestelde prijzen en subsidies kunnen dingen.
Het is echter niet waarschijnlijk dat zich een stormloop vanuit de andere EG-staten op de Nederlandse regelingen zal voordoen. Praktische barrières van geografische (afstand) en culturele (taal; de benodigde kennis van Nederlandse regelgeving en bestuurspraktijk) aard spelen een grote rol.

Architectuuropleiding
Voorzover dat al niet het geval is, zullen de Nederlandse opleidingen volledig opengesteld moeten worden voor studenten uit andere lidstaten van de EG. Met name als het gaat om hoogwaardige opleidingen ligt Nederland echter achter op andere lidstaten. Dat is alleen al een factor die een grote toeloop uit het buitenland onwaarschijnlijk maakt.

Welstandszorg
De vorming van de interne markt heeft voor de Nederlandse welstandszorg geen rechtstreekse gevolgen.

Monumentenzorg
Ook hier heeft de eenwording van de Europese markt geen rechtstreekse gevolgen. Wel wordt het zo dat de uitvoering van grote restauratiewerken is onderworpen aan de EG-richtlijnen inzake economische mededinging, en dat buitenlandse architecten zich kunnen bewegen op de markt van Nederlandse restauratieopdrachten.

10. Het Nederlandse cultuurbeleid: musea

10.1 Algemeen

Het Nederlandse cultuurbeleid voorziet in het in stand houden van musea waarin objecten van culturele waarde worden bewaard en ten toon gesteld, en in het stimuleren van museale activiteiten. Er zijn rijksmusea, die rechtstreeks onder verantwoordelijkheid van de nationale overheid vallen, en andere; dit verschil zou aan belang in kunnen boeten naarmate het voornemen van de overheid om de rijksmusea te verzelfstandigen gestalte krijgt. Dat laatste zou echter niets veranderen aan het feit dat de rijksoverheid door middel van verschillende soorten subsidies museale activiteiten ondersteunt.

In het kader van dit onderzoek worden regelingen ten aanzien van vijf terreinen betreffende het museumbeleid nader bekeken:

- Incidentele subsidies.
- De Wet tot behoud van cultuurbezit.
- De tijdelijke aankoopsubsidieregeling moderne beeldende kunst
- De Europese museumkaart.
- De opleiding in de restauratiesector.

De incidentele subsidies betroffen in 1989 bedragen ten behoeve van *a.* de zorg voor de collecties; *b.* de deskundigheidsbevordering van met name museumpersoneel; *c.* de bevordering van een geografisch gespreid aanbod van moderne kunst; *d.* activiteiten gericht op het publiek.

De Wet tot behoud van cultuurbezit (1984) beoogt voorwerpen van cultuurhistorische of wetenschappelijke waarde voor Nederland te behouden, omdat de aanwezigheid ervan in Nederland onmisbaar en onvervangbaar wordt geacht.

Via de tijdelijke aankoopsubsidieregeling moderne beeldende kunst kunnen musea (met uitzondering van rijksmusea) belang-

rijke werken aankopen, die de ontwikkelingen op het gebied van de Nederlandse beeldende kunst weerspiegelen.
Er bestaan voornemens om de al bestaande Nederlandse museumjaarkaart in samenwerking met overeenkomstige initiatieven in andere lidstaten van de EG uit te breiden tot een Europese museumjaarkaart.
In Nederland zijn enkele opleidingen, door de overheid gesubsidieerd, die ten doel hebben de deskundigheid van restauratoren met het oog op het behoud van het Nederlands cultuurbezit te verbeteren.

10.2 Het museumbeleid en het EEG-Verdrag

Heeft de voltooiing van de interne markt consequenties voor deze regelingen?
Wat betreft de eerste categorie onder de incidentele subsidies lijkt het niet voor de hand liggen dat andere dan Nederlandse instellingen er aanspraak op kunnen maken, aangezien de regeling uitdrukkelijk het behoud van het nationale erfgoed ten doel heeft. Een dergelijke bepaling zal vallen onder de uitzonderingsbepalingen ten aanzien van de interne markt die het EEG-Verdrag kent. De subsidieregeling voor deskundigheidsbevordering lijkt evenmin in strijd met het EG-recht.
De derde categorie (bevordering van een geografisch gespreid aanbod van moderne kunst) regeling heeft niet betrekking op uitsluitend Nederlandse kunst. Wel is het algemeen uitgangspunt van de rijksoverheid dat het bij subsidiëring om een nationaal belang dient te gaan. Dit houdt in dat een tentoonstelling van Nederlandse moderne kunst in een museum van een lidstaat binnen de subsidiebepalingen kan vallen.
De vierde categorie lijkt evenmin in strijd met de bepalingen van het EEG-Verdrag, aangezien ook hier een (ruim geïnterpreteerd) nationaal belang toelaatbare grenzen stelt aan de mogelijkheid tot subsidiëring. Dat wil zeggen dat het tentoonstellen van een niet in Nederland aanwezige collectie van Nederlands cultuurbezit in

principe voor subsidie in aanmerking komt, maar wel alleen als hiermee een Nederlands nationaal belang zou worden gediend.
Bij al deze vier regelingen lijkt, kortom, geen inbreuk gemaakt te worden op het beginsel van vrij verkeer van personen en goederen binnen de EG.
De Wet tot behoud van cultuurbezit heeft duidelijk tot doel bepaalde goederen – waarvan de aanwezigheid in Nederland vanuit cultureel oogpunt onmisbaar wordt geacht – niet toe te laten tot het vrije economische verkeer binnen de EG. Volgens artikel 36 van het EEG-Verdrag is zulks in beginsel geoorloofd; daarin worden in-, uit- en doorvoerverboden toegelaten voorzover hun rechtvaardiging ligt in onder andere 'de bescherming van het nationaal artistiek, historisch en archeologisch bezit'. Daarbij geldt wel het proportionaliteitsbeginsel: zulke beperkingen mogen niet groter zijn dan nodig is.
Bij gebrek aan jurisprudentie ten aanzien van dit punt is niet duidelijk hoe stringent artikel 36 zal worden geïnterpreteerd.
De tijdelijke aankoopsubsidieregeling moderne beeldende kunst zou, door de bepaling dat alleen werk van Nederlandse of duurzaam in Nederland wonende en werkende kunstenaars aangekocht kan worden, wel in strijd kunnen worden geacht met de bepalingen van het EEG-Verdrag.
Het streven naar een museumkaart die voor alle lidstaten van de EG geldig is, is tot nu toe niet realiseerbaar gebleken vanwege de gecompliceerde internationale verdeling van gelden die daarvoor nodig is. Dit probleem is echter oplosbaar. Een Europese museumkaart zou de toeloop tot de Nederlandse musea waarschijnlijk vergroten. Discriminatie naar nationaliteit is hierbij niet in het geding.
De opleidingen in de restauratiesector zijn opgezet om de hier benodigde expertise voor het behoud van het nationale erfgoed te verbeteren. De daartoe bestemde subsidies bevatten echter geen bepalingen van discriminatoire aard naar nationaliteit; zij staan in principe al open voor niet-Nederlanders.

10.3 Gevolgen

Wat betreft de vermoedelijke en waarschijnlijke gevolgen van het tot stand komen van de interne markt, geldt dat de meeste bestaande regelgeving, ondanks onduidelijkheden als gevolg van het feit dat zij in de 'grijze zone' (zie hoofdstuk 2) liggen, in stand kan blijven.

Wil men dat deze regelingen de oorspronkelijke doelstelling blijven dienen, dan zou een wettelijke onderbouwing wenselijk zijn, waarin de criteria voor steunverlening zo duidelijk mogelijk zijn toegespitst op het behoud van het nationaal cultuurbezit.

De tijdelijke aankoopsubsidieregeling moderne beeldende kunst hanteert echter criteria die hoogstwaarschijnlijk in strijd zullen worden geacht met de anti-discriminatiebepalingen van het EEG-Verdrag.

Positieve gevolgen van de uitvoering van de Europese Akte kunnen zijn:

- De intensivering van bruikleen tussen musea en de EG.
- De vergroting van de uitwisseling van restauratorische deskundigheid tussen de lidstaten.

11. Het Nederlandse cultuurbeleid en de amateuristische kunstbeoefening en kunstzinnige vorming

11.1 Algemeen

Amateuristische kunstbeoefening en kunstzinnige vorming worden onderscheiden in zeven categorieën:
- Tekenen, schilderen, grafisch werk.
- Beeldhouwen, boetseren, pottenbakken, sieraden maken.
- Werken met textiel, wandkleden maken, weven.
- Zingen.
- Het bespelen van een muziekinstrument.
- Toneel, mime, volksdans, ballet, inclusief jazz- en beatballet.
- Fotografie, film, video.

Het kan daarbij gaan om activiteiten verricht in de vrije tijd, het ingeschreven zijn bij een muziekschool, creativiteitscentrum of iets dergelijks, het op een andere wijze deel nemen aan lessen of cursussen onder leiding van een beroepskracht, dan wel het lid zijn van een vereniging voor amateuristische kunstbeoefening.
De amateuristische kunstbeoefening is in slechts geringe mate overheidszaak. Zij is georganiseerd in een veelheid en verscheidenheid van maatschappelijke organisaties op plaatselijk zowel als landelijk niveau. De subsidie die de overheid ter beschikking stelt ter ondersteuning van de overkoepelende landelijke organisaties gaat de drie miljoen gulden niet te boven. Daarnaast vindt subsidiëring vooral plaats op lokaal niveau, door gemeenten en provincies.

Kunstzinnige vorming verschilt in drie opzichten van amateuristische kunstbeoefening. In de eerste plaats gaat het hier om een meer methodische benadering in de overdracht van vaardigheden. In de tweede plaats wordt dit werk voornamelijk gedaan door beroepskrachten. De overheidssubsidie voor kunstzinnige vorming is relatief en absoluut hier veel groter dan die voor amateuristische kunstbeoefening. Zo bedraagt de subsidie ter ondersteuning van landelijke organisaties hier ruim zes miljoen gulden.

11.2 De relatie met het EEG-Verdrag

Veel van de subsidieregelingen ten gunste van de beroepsopleidingen in de sector amateuristische kunstbeoefening en kunstzinnige vorming kunnen in strijd zijn met het discriminatieverbod naar nationaliteit. Dit zou inhouden dat deze opleidingen op dezelfde basis toegankelijk worden voor burgers uit andere lidstaten van de EG als voor Nederlanders. Op dit moment zijn er zo'n zesduizend docenten werkzaam aan deze opleidingen.

11.3 De gevolgen

De volledige uitvoering van de Europese Akte zal voor de amateuristische kunstbeoefening rechtstreeks geen grote gevolgen hebben. Hoogstens kan men verwachten dat een groter deel van de beroepskrachten die in dit veld werkzaam zijn op den duur uit buitenlanders zal bestaan, met name in een categorie als muziek.
Voor de kunstzinnige vorming ontstaat de mogelijkheid dat veel meer niet-Nederlanders zullen gaan dingen naar docenten- en studentenplaatsen bij die opleidingen waar de Nederlandse taal geen doorslaggevende rol speelt.
Het is moeilijk te schatten in welke mate zo'n ontwikkeling haar beslag kan krijgen. Verwacht mag worden dat barrières van taal, geografische afstand en cultuur een belemmerende werking zullen uitoefenen, ook bij opleidingen in categorieën als dans en muziek. Aan de andere kant lijkt Nederland meer en gemakkelijker mogelijkheden te bieden op dit terrein dan de meeste andere lidstaten.

12. Het Nederlandse cultuurbeleid en de film

12.1 Algemeen

De Nederlandse overheid verleent rechtstreekse steun aan de Nederlandse filmcultuur. Dit gebeurt op advies van de Raad voor de Kunst. De produktie van Nederlandse films wordt ondersteund door een tweetal fondsen: het Produktiefonds en het Filmfonds. Deze beslissen per geval of steun wordt verleend.
Om in aanmerking te komen voor steun dient een project aan een drietal criteria te beantwoorden. Er moet sprake zijn van voldoende professionele kwaliteiten bij de betrokkenen; de financieel-organisatorische opzet moet deugen; tenslotte moet de voorgenomen film een nationale cultuuruiting zijn. Dat laatste is het geval als de film kan worden geacht in het bijzonder bij het Nederlandse publiek belangstelling te wekken, bij voorbeeld door het gebruik van de Nederlandse taal, het optreden van Nederlandse acteurs, de medewerking van Nederlandse filmmakers, en de keuze van het onderwerp.

12.2 Het Nederlandse beleid en het EEG-Verdrag

Zijn er in de bestaande reglementen en praktijk van de Nederlandse steunverlening elementen die in strijd moeten worden geacht met het EG-recht?
Het Filmfonds hanteert de regel dat ook niet-Nederlanders uit lidstaten van de EG aanspraak kunnen maken op steunverlening, mits zij tenminste twee jaar voordat zij zo'n aanvraag indienen in Nederland hebben gewoond, en daar beroepsmatig als filmmaker werkzaam zijn geweest. Het is de vraag of deze laatste voorwaarde niet als discriminerend in de zin van het EEG-Verdrag zal worden uitgelegd.

Het produktiefonds sluit met een door hem gesteunde filmproducent een standaardverdrag af, waarin twee bepalingen voorkomen die kunnen worden aangemerkt als concurrentievervalsend in de zin van artikel 30 van het EEG-Verdrag. De film moet worden afgewerkt in een Nederlands laboratorium, en daar dienen ook alle kopieën die in Nederland worden getoond te worden vervaardigd. Daarnaast bevat de steun van het Produktiefonds specifieke posten voor besteding bij Nederlandse bedrijven ten behoeve van studio's, apparatuur en dergelijke, en eveneens een specifieke post voor beeldbewerkingen bij een Nederlands laboratorium.
De doelstelling omschreven in de statuten van het Filmfonds spreekt van het bevorderen van 'de Nederlandse filmcultuur'; die van het Produktiefonds van 'de Nederlandse filmproduktie in het algemeen en de produktie van Nederlandse speelfilms in het bijzonder'. In beide gevallen zou sprake kunnen zijn van (indirecte) discriminatie naar nationaliteit.

12.3 Gevolgen

Voor een schatting van de gevolgen van deze mogelijke en waarschijnlijke strijdigheden van het Nederlandse cultuurbeleid terzake van film en het EEG-Verdrag zijn van belang de procedures die de Europese Commissie is begonnen tegen de filmwetgeving in Denemarken en Griekenland. Daarbij stelt de Commissie zich op het standpunt dat bij overheidssteun aan nationale filmindustrieën geen sprake mag zijn van bepalingen die onnodig beperkingen opleggen aan producenten uit andere lidstaten om in aanmerking te komen voor subsidie. Dit laat de mogelijkheid open voor steun op grond van artikel 92, lid 3, van het EEG-Verdrag, dat voorziet in de steun aan de ontwikkeling van bepaalde vormen van economische bedrijvigheid, mits deze geen afbreuk doet aan andere bepalingen uit het EEG-Verdrag.
Het onlangs gesloten compromis tussen Commissie en Deense regering lijkt te impliceren dat de Commissie geen bezwaar

maakt tegen de steun aan films in de nationale taal, en steun ter bevordering van de nationale filmcultuur, voorzover die geen beperkingen inhouden ten aanzien van nationaliteit.
Op grond hiervan zou men kunnen concluderen dat de specifieke steun voor de Nederlandse filmcultuur zoals nu vastgelegd in de statuten van de twee Fondsen, niet op principieel bezwaar van de Commissie zal stuiten. Zeker is dit echter niet. Het staat dan ook niet vast dat zij in hun huidige vorm kunnen voortbestaan.

13. Marktverruiming

13.1 Algemeen

De voltooiing van de interne markt betekent een enorme schaalvergroting in economische zin. Voor de cultuur in Europa kan dat tal van positieve gevolgen hebben. Allerlei belemmeringen voor het vrije verkeer van kunstenaars en kunst binnen de EG verdwijnen immers.
Marktverruiming en de daaraan gekoppelde schaalvergroting kunnen echter, zeker op het gebied van de cultuur, leiden tot concentratie onder producenten en tot gelijkvormigheid in (en dus verschraling van) het aanbod. De kosten per eenheid produkt dalen naarmate de afzetmogelijkheden toenemen; dit betekent omgekeerd dat die produkten, waarvoor dat niet mogelijk is – bijvoorbeeld omdat de omvang van het beoogde publiek door factoren als taal of geografie beperkt is – in verhouding duurder worden; zo duur wellicht dat van hun voortbrenging en/of distributie moet worden afgezien. Juist soortgelijke processen hebben in het verleden geleid tot nationaal cultuurbeleid, om te voorkomen dat de werking van de markt kunstvormen onbetaalbaar zou maken, of onmogelijk.

Wat in dit opzicht de gevolgen van de totstandkoming van een Europese 'ruimte zonder binnengrenzen' zullen zijn voor de Nederlandse cultuur en het Nederlandse cultuurbeleid, is moeilijk te bepalen. Meer nog dan het in kaart brengen van die elementen in het Nederlandse cultuurbeleid die in strijd zijn met het EEG-Verdrag, draagt deze beschouwing over de vermoedelijke gevolgen van marktverruiming daarom noodgedwongen het karakter van beheerste speculatie.

Die gevolgen zullen vanzelfsprekend uiteenlopen voor de verschillende elementen en onderdelen van het Nederlandse cultuurbeleid. Van belang zullen vooral drie factoren zijn:

1. Het feit of een cultuuruiting rechtstreeks of indirect verbonden is aan de Nederlandse taal.

   De mate waarin er andere belemmeringen voor een werkelijk vrij verkeer binnen de EG bestaan afgezien van die welke formeel zijn uitgesloten door het EEG-Verdrag. Daarbij gaat het mijns inziens vooral om de volgende twee zaken:
2. de relatieve kwaliteit van opleidingen in de culturele sector;
3. de wederkerigheid van nationaal cultuurbeleid.

Enerzijds betreft dat dus de feitelijke of formele gelijkwaardigheid van Nederlandse opleidingen in de culturele sector; anderzijds de mate van wederkerigheid in het cultuurbeleid – dat wil zeggen: de mate waarin Nederlandse regelingen een pendant vinden in de andere lidstaten van de EG.

Wat betreft de eerste factor: het is duidelijk dat het Nederlandse taalgebied inzake Nederlandstalige cultuuruitingen een kleine deelmarkt binnen de algemene Europese markt vormt. Dat betekent dat deze in beginsel getroffen wordt door 'diseconomies of scale', en dus voor '1992' onder grote druk komt te staan.

De tweede factor houdt in dat waar Nederlandse opleidingen niet concurreren met overeenkomstige in andere lidstaten, de waarschijnlijkheid toeneemt dat afgestudeerden van de laatste Nederlanders verdringen in Nederland, en anderzijds de kansen van Nederlanders op werk in andere lidstaten afneemt. Vanzelfsprekend geldt het omgekeerde in principe evenzo.

Voor de derde factor lijkt te gelden dat in het algemeen de Nederlandse regelingen op cultuurpolitiek terrein niet, of niet in die mate, een pendant vinden in andere lidstaten. Dat zou dus inhouden dat – helemaal los van de tweede factor – de kansen van Nederlanders op werk in andere lidstaten geringer zijn dan de kansen van buitenlandse cultuurproducenten uit de EG op werk in het circuit van de Nederlandse cultuurpolitiek.

Voor de verschillende onderdelen van het Nederlandse cultuurbeleid die in de vorige hoofdstukken aan de orde zijn geweest wordt in de volgende paragrafen nagegaan wat er de mogelijke gevolgen van schaalvergroting voor zullen zijn.

13.2 Muziek

Het Nederlandse muziekleven heeft in het algemeen veel te winnen bij het opengaan van de grenzen. Juist omdat dit allang een internationaal, en weinig protectionistisch karakter heeft, hebben Nederlandse musici internationaal relatief goede kansen. Bij de meeste zaken die door de Nederlandse overheid worden gesteund, gaat het om ondernemingen die niet op een vrije (Europese) markt concurreren en dat ook niet kunnen. Alleen voor de muziekindustrie geldt dit niet; deze wordt echter niet door de overheid gesubsidieerd.

13.3 Dans

Voor de dans in Nederland zal de voltooiing van de interne markt enerzijds de mogelijkheden om in het (EG)buitenland op te treden vergemakkelijken; anderzijds kunnen Nederlandse dansers, vanwege de te weinig op prestatie en kwaliteit gerichte opleidingen, steeds meer succesvolle concurrentie van buitenlanders ondervinden.

13.4 Toneel

Van marktvergroting kan bij het Nederlands toneel nauwelijks sprake zijn, aangezien dit vrijwel geheel aan de Nederlandse taal gebonden is. Alleen bij niet aan deze taal gebonden produkties – zoals sommige musicals – zou van marktverruiming, en daarmee van lagere produktiekosten sprake kunnen zijn. Deze mogelijkheden moeten om verschillende reden niet erg reëel worden geacht.

13.5 Letteren

'1992' werkt een situatie in de hand waarbij een klein aantal mediagiganten een grote invloed krijgen op wat er in de EG wordt uitgegeven en verkrijgbaar blijft. In zo'n situatie zou de markt voor 'bestsellers' door hen gemonopoliseerd zijn, onder andere door het gelijktijdig uitbrengen van origineel en vertalingen in de lidstaten. Daardoor zou de interne subsidiëringscapaciteit van kleinere uitgeverijen afnemen, en daarmee de mogelijkheden tot uitgave van boeken voor een kleiner publiek.
De voltooiing van de interne markt zal verder tot gevolg hebben dat de prijzen van buitenlandse boeken in Nederland zullen dalen, met als gevolg een groter prijsverschil tussen originelen en vertalingen.
Niettemin blijft er een verschil bestaan tussen de Nederlandse en de Europese boekenmarkt. Maar in het algemeen kan men zeggen dat de laatste de speelruimte op de eerste beperken zal.

13.6 Beeldende kunst

Het lijkt niet waarschijnlijk dat in het geval van de beeldende kunst als gevolg van de voltooiing van de interne markt gesproken kan worden van 'marktverruiming'. Enerzijds is er op dit gebied allang sprake van een internationale markt waarop ook Nederlandse kunstenaars opereren. '1992' verandert daaraan niets wezenlijks. Anderzijds zijn de meeste Nederlandse beeldende kunstenaars actief in circuits die vaak niet eens Nederland als geheel omvatten.

13.7 De bouwkunst

De voltooiing van de interne markt betekent waarschijnlijk voor de bouwkunst in Nederland dat er sprake zal zijn van een toestroom van architecten, bouwkundigen en bouwondernemingen uit lidstaten van de EG naar Nederland, met het oog op opdrachten in het kader van het Nederlandse cultuurbeleid. Omgekeerde bewegingen vanuit Nederland zijn minder waarschijnlijk. Er zijn echter – behalve de taal – allerlei factoren werkzaam die evenzovele belemmeringen zijn voor zulke transnationale bewegingen.

13.8 Museale regelgeving

Hier lijkt het vrije verkeer van goederen het mogelijk te maken het bruikleenverkeer tussen musea in de lidstaten te intensiveren. Ook het tentoonstellingsverkeer in de EG zal toenemen, terwijl verwacht mag worden een groter aanbod van objecten voor de verzamelingen van musea. Uitwisseling van deskundigheid op het gebied van restauratie zal eveneens groeien. Een Europese museumjaarkaart zal het bezoek aan musea vergroten.

13.9 Film

Hier is allang sprake van een internationale markt. '1992' betekent hier dat mogelijkerwijs de bescherming van de Nederlandse film wegvalt. Is dit het geval, dan verdwijnt de Nederlandse film in tendentie.

13.10 Amateuristische kunstbeoefening en kunstzinnige vorming

Van 'marktverruiming' kan men met betrekking tot de activiteiten die hier bedoeld worden eigenlijk niet spreken. Hoogstens zullen meer buitenlanders als beroepskracht op dit terrein werkzaam zijn.

14. Conclusies en aanbevelingen

In dit rapport is getracht, op basis van een aantal deelstudies, weer te geven welke consequenties de uitvoering van de Europese Akte zal hebben voor het Nederlandse cultuurbeleid, en wel toegespitst op drie zaken: het verbod op discriminatie naar nationaliteit, het verbod op concurrentievervalsende steunmaatregelen, en de schaalvergroting als gevolg van het ontstaan van één Europese markt. Van die drie heeft het verbod op discriminatie naar nationaliteit de meeste aandacht gekregen.
Duidelijk is geworden dat het moeilijk is hierover veel met zekerheid te zeggen. In de eerste plaats vanwege het eigenaardige proces waardoor duidelijkheid wordt geschapen inzake de uitleg van het EEG-Verdrag ten aanzien van cultuurpolitieke zaken: per afzonderlijke beslissing, waarbij het cultuurpolitieke argument nooit centraal kan staan, en het Europese Hof de uitzonderingsbepalingen op het EEG-Verdrag eng interpreteert.
In de tweede plaats omdat die gevolgen vervolgens afhangen van allerlei individuele afwegingen en beslissingen, waarover niets stelligs valt te zeggen, zoals de motieven van kunstenaars om van land van vestiging te veranderen.
Niettemin is het mogelijk op basis van het voorgaande een aantal conclusies te trekken met inachtneming van onzekerheidsfactoren.

1. De doorvoering van het EEG-Verdrag brengt voor de komende jaren blijvende onzekerheid mee voor veel aspecten van het Nederlandse cultuurbeleid. Die onzekerheid wordt alleen per afzonderlijke zaak door besluiten van de Europese Raad of Commissie en uitspraken van het Europese Hof opgeheven. Van helderheid ten aanzien van het cultuurbeleid van nationale overheden in de EG is op afzienbare termijn geen sprake.

2. De doorvoering van het non-discriminatiebeginsel naar nationaliteit houdt voor het Nederlandse kunstbeleid in dat een aantal regelingen zal moeten worden aangepast of vervallen. Zo zal

specifieke steun voor Nederlandse componisten, musici, architecten en beeldende kunstenaars niet meer mogelijk zijn, en zal het leenrecht in zijn huidige vorm moeten vervallen.

3. Het verbod op non-discriminatie en concurrentievervalsende steunverlening heeft ook een aantal gevolgen die op dit ogenblik minder zeker zijn. Het gaat hier om Nederlandse cultuurpolitieke regelingen die ogenschijnlijk niet in strijd zijn met het EEG-Verdrag, maar waarvan ook niet zeker is of zij een rechtszaak voor het Europese Hof zullen overleven.
Hiervan zijn met name twee soorten regelingen van belang: die waarin het criterium van de Nederlandse taal of cultuur een grote rol speelt, en die waarbij niet nationaliteit een voorwaarde is om voor subsidie in aanmerking te komen, maar wel een verblijfs- of vestigingseis wordt gesteld. Het hoeft geen betoog dat de eventuele niet-toelaatbaarheid van deze criteria ingrijpende gevolgen voor het Nederlandse cultuurbeleid heeft.

4. Met name op het gebied van de uitvoerende kunsten zal '1992' geen grote, en zeker geen negatieve gevolgen hebben voor het Nederlandse cultuurbeleid. Men moet zich daarbij wel realiseren dat dit afhankelijk is van het peil van de Nederlandse vakopleidingen. Alleen voorzover deze kwalitatief concurreren met het beste in andere lidstaten, zijn evenwaardige beroepsmogelijkheden voor Nederlandse kunstenaars in en buiten Nederland gewaarborgd.

5. Met name op het gebied van literatuur houdt de marktverruiming die de voltooiing van de Europese markt met zich mee brengt het gevaar in van verschraling van het Nederlandstalige aanbod. Afschaffing van de vaste boekenprijs zou dit proces versnellen.

Naast deze conclusies is er plaats voor enkele aanbevelingen. Zij volgen niet onherroepelijk uit het voorgaande en komen geheel voor rekening van de auteur van deze verkenning.

1. Juist omdat de onzekerheid inzake de toekomst van het Nederlandse cultuurbeleid zo groot blijft, kan het geen kwaad rekening te houden met een *worst case*-scenario voor een willekeurig onderdeel van dat beleid. Zo'n scenario zou bij voorbeeld in kunnen houden dat de toevloed van buitenlandse kunstenaars op Nederlandse fondsen zo groot wordt, dat deze uitgeput raken en de Nederlandse overheid in arren moede haar zorg op dit terrein opgeeft. Een ander scenario houdt in dat concentratietendensen in sectoren van de culturele industrie als gevolg van de voltooiing van de interne markt zodanige vormen aannemen dat de pluriformiteit in het aanbod aan kunst en cultuur daaronder ernstig te lijden krijgt, zonder dat de nationale overheid daar nog iets tegen kan doen.

2. Het verdient aanbeveling om, uitgaande van de nu verrichte voorstudies, te inventariseren en precies vast te stellen welke bestaande instrumenten van nationaal cultuurbeleid zeker niet in overeenstemming zijn met het EEG-Verdrag, welke wel, en van welke het onzeker is.

3. Nader onderzoek lijkt ook gewenst naar de mogelijke uitzonderingsgronden op de verboden op discriminatie en steun. Zo'n onderzoek zou zich moeten uitstrekken tot het opstellen van een scenario volgens hetwelk Nederland met succes binnen de EG de mogelijkheden van zijn cultuurpolitiek kan bevestigen. In de studie over de juridische aspecten van '1992' zijn argumenten en instrumenten voor zo'n initiatief te vinden.

4. Nu een aantal onaangename en niet vermoede consequenties van het EEG-Verdrag voor nationale cultuurpolitiek duidelijk begint te worden, is het niet onmogelijk dat de bereidheid om het EEG-Verdrag uit te breiden met artikelen over cultuurpolitiek bij de lidstaten – ook bij die, die zich daarvan totnutoe afkerig hebben getoond – is toegenomen. Nederland zou het initiatief kunnen nemen om daarover op Europees niveau het overleg te openen. Daarbij zou overigens niet de uitbreiding van het EEG-

Verdrag met artikelen over cultuur centraal moeten staan, maar een heldere afbakening van de bevoegdheden van lidstaten, respectievelijk EG, ten aanzien van cultuurpolitiek.

5. Het verdient aanbeveling daarnaast te onderzoeken of het niet wenselijk is met betrekking tot enkele van de zwaarstwegende onzekerheden – met name de aanvaardbaarheid van de Nederlandse taal en cultuur als uitzonderingsgrond – uitspraken van het Europese Hof uit te lokken. Daarbij teken ik aan dat dit om verschillende redenen een niet ongevaarlijke manoeuvre kan zijn, die averechts uit kan vallen.

6. Op grond van de deelstudies, die elkaar wat dit aangaat soms ook tegenspreken, concludeer ik dat het wenselijk is een internationaal vergelijkend onderzoek te doen naar de kwaliteit van de Nederlandse opleidingen op het gebied van cultuur. Op grond daarvan zou vastgesteld kunnen worden op welke manier en in welke richting die opleidingen zouden kunnen worden verbeterd met het oog op de internationale concurrentie binnen de EG.

7. Tenslotte is nader onderzoek wenselijk naar de mate waarin '1992' kan leiden tot emigratie- en immigratiestromen van kunstenaars uit Nederland, respectievelijk de andere lidstaten.

Bijlage I

In het kader van het onderzoek naar de mogelijke gevolgen van de Europese eenwording voor de culturele sector zijn de volgende publikaties verschenen:

- *De Europese Gemeenschappen en cultuurbeleid; een juridische analyse*, door mr. J.M.E. Loman, prof. dr. K.J.M. Mortelmans en dr. H.H.G. Post (Rijksuniversiteit Utrecht), Zeist, 1989.

- *Nederlands cultuurbeleid en de Europese Gemeenschappen; een beleidsverkenning*, door Bart Tromp, Zeist, 1989.

Voorts zijn onder de verzameltitel *Nederlands Cultuurbeleid en Europese Eenwording* de volgende deelonderzoeken verschenen:

- BOUWKUNST EN MONUMENTENZORG door dr. N.J.M. Nelissen en drs. C.L.F.M.de Vocht

- MUZIEK EN DANS, door H.O. van den Berg en M. van Gemert

- LETTEREN, door drs. J. Honout

- TONEEL, door mr. J. Jong

- BEELDENDE KUNST, door drs. R. Fuchs

- FILM, door W. Verstappen

- AMATEURISTISCHE KUNSTBEOEFENING EN KUNSTZINNIGE VORMING, door H.J.M. Mali

- MUSEA, door drs. R.J. Willink

Laatstgenoemde publikaties zijn verkrijgbaar bij het Distributiecentrum DOP, Postbus 20014, 2500 EA Den Haag, telefoon: 070 - 3 78 98 85.

Bijlage II

De Commissie Cultuurbeleid en Interne Markt is voor een periode van 4 jaar ingesteld door de Directeur-Generaal voor Culturele Zaken van het Ministerie van Welzijn, Volksgezondheid en Cultuur (Instellingsbesluit: DGCZ.U.3775, d.d. 28 juli 1988).

De Commissie heeft tot taak:

- het initiëren van oriënterend onderzoek naar de gevolgen van communautaire acties voor de culturele sector;
- het coördineren en begeleiden van onderzoek;
- het naar aanleiding van haar bevindingen formuleren van voorstellen aan de Directeur-Generaal Culturele Zaken.

De Commissie bestaat uit de volgende personen:
Als externe deskundigen:
Dr. H.H.G. Post
R.M. Vrij
Mr. W. Wanrooy

Voor het Ministerie van Welzijn, Volksgezondheid en Cultuur:
Drs. H. Withaar, voorzitter
Mr. drs. S.M. Gimbrère, secretaris
Drs. P.J.C. Mulder